bas gaat op schoolreis

Van Vrouwke Klapwijk verschenen in de bas-serie:

Vanaf 6 jaar

bas gaat op voetbal
bas in de ArenA
bas en het Zwem-ABC
bas bij de brandweer
bas vindt de schat
bas gaat naar zee
bas gaat op schoolreis
bas op het ijs
bas helpt een vos
bas en de bosbrand

Vrouwke Klapwijk

bas gaat op schoolreis

met tekeningen van
Irene Goede

Wil je meer weten over Vrouwke Klapwijk en de boeken die ze geschreven heeft, kijk dan op *www.vrouwkeklapwijk.nl*
Meer informatie over het werk van Irene Goede vind je op *www.irenegoede.nl*

Tweede druk, 2008

illustraties en vormgeving: Irene Goede BNO
ISBN 987 90 266 1106 3 • NUR 282/287
vanaf 6 jaar, AVI-2

Inhoud

1. een brief *6*
2. geld *8*
3. nog één nachtje... *10*
4. in de bus *12*
5. bij de ingang *14*
6. de beer *16*
7. een beeld van een dier *19*
8. bas voelt bultjes *21*
9. sjimp *23*
10. duizend pakjes *26*
11. wat is hij sterk! *29*
12. hoeveel? *31*
13. naar de giraf *33*
14. hooi uit een bol *35*
15. in een hok van glas *37*
16. met de trein *39*
17. in het klimrek *42*
18. bas valt *44*
19. naar huis *47*

1. een brief

bas zit in de klas.
hij leest een boek.
het is bijna uit.
nog één hoofdstuk.

'het is tijd!' roept juf jeltje opeens.
bas kijkt verbaasd op.
tijd?
dat kan niet!
het is drie uur.
hij heeft nog een kwartier.
'ruim maar op,' zegt de juf.
'ik heb een brief.
we gaan op schoolreis!'
op schoolreis? denkt bas.
wauw!
daar heb ik zin in.
bas slaat zijn boek dicht.
hij propt het vlug in zijn vak.
wat zou er in de brief staan?

'klaar?'
juf jeltje zit op een kruk voor de klas.

ze heeft een blad in haar hand.
'nog een week.
dan is het zover.
we gaan op schoolreis.
naar...'
de juf kijkt de klas rond.
ze lacht.
'naar...' zegt ze nog een keer.
'het bos,' roept bas.
'nee, de speeltuin,' zegt koen.
'poe, dat is voor kleintjes,' roept ties.
'ik wil naar six flags.
dat is pas tof!'
'ja, naar six flags,' roept de klas.
maar de juf schudt haar hoofd.
'dat is te duur.
zo rijk is de school niet.
we gaan met de bus naar...'
het is weer stil.
'toe juf, zeg het nou,' roept bas.

2. geld

‘we gaan naar de dierentuin!’
‘de dierentuin?’
juf jeltje knikt.
‘ja, naar de dierentuin.
er is ook een speeltuin bij.
met een heel groot klimrek.’
‘is dat ver?’ vraagt koen.
de juf knikt weer.
‘meer dan een uur in de bus.’
‘dan is het goed,’ zegt koen.
‘ik vind het leuk in een bus.’
bas denkt na.
een dierentuin?
daar is hij wel eens geweest.
maar toen was hij nog heel klein.

‘ik neem geld mee!’ roept ties opeens.
hij wipt op zijn stoel heen en weer.
‘dan koop ik een ijsje van vijf euro.’
de juf schudt haar hoofd.
‘nee, ties.
dat is pech.
je mag maar twee euro mee.

het staat in de brief.'
ties hangt scheef met zijn stoel.
boem!
de stoel valt om.
'ties!' zucht de juf.
'zit nou eens stil.
ik krijg een punthoofd van jou.'
ties lacht.
'dat valt wel mee, juf.
ik zie nog niets!'
'ties!!' zegt de juf.
'twee euro is genoeg.
als ik zie wat jij mee neemt!
je tas puilt uit.
je krijgt ook nog wat van ons.
kom,
deel de brief maar uit.
het is bijna tijd.'

3. nog één nachtje...

er is een week voorbij.
nog één nachtje...
dan is het zover.
bas kijkt naar het aanrecht.
daar ligt een rol snoep.
en drie pakjes sap.
en chips en twee euro.

ank staat naast bas.
'wat krijgt hij veel,' zegt ze.
'ik wil ook een rol.'
'dat valt best mee,' zegt mama.
'jij bent op kamp geweest.
als ik daar nog aan denk.
er zat zelfs chips in je slaapzak.'
ank lacht.
'dat hoort op een kamp.
mag ik nu een rol?'
'nee,' zegt mama.
'dit is voor bas.
hij gaat op schoolreis.
stop het zelf maar in je tas, bas.
morgen komt er nog brood bij.'

bas pakt zijn rugzak.
daar kan veel in.
in een klein zakje zit een munt.
van twee euro.

bas denkt aan vandaag.
'ik neem toch vijf euro mee,'
heeft ties gezegd.
wie doet dat nou?
mama vindt twee euro ook genoeg.
'voor een ijsje en wat snoep.'
bas doet zijn tas dicht.
hij zet hem op het aanrecht.
nog één nachtje...

4. in de bus

bas zit in de bus.
bij het raam.
ron zit naast hem.
mama staat op straat.
met loes op haar arm.
ze zwaait.
'tot ziens!' roept ze.

daar gaat de bus.
juf jeltje zit voorin.
'ik wil geen vuil op de grond zien,'
zegt ze streng.
'aan je stoel hangt een tas.
daar stop je het in.
en niet van je plaats.
wie weet er een lied?'
'in het bos,' roept koen.
de juf knikt.
ze zet in.
het galmt door de bus.
lied na lied.
'ik stop,' kreunt de juf na een half uur.
'al mijn liedjes zijn op.

ik heb geen stem meer.'

bas kijkt uit het raam.
het is druk op de weg.
de bus rijdt langzaam.
'we zijn er bijna,'
roept juf jeltje na een poosje.
ze staat voor in de bus.
piieeeppp!
opeens remt de bus hard.
juf jeltje schiet vooruit.
haar hand graait in het rond.
haar tas valt op de grond.
langzaam glijdt de juf omlaag.
dan zit ze op de grond.
in het pad van de bus.
bas lacht.
het is een gek gezicht.
lach niet,' bromt de juf.
'help me omhoog.'
bas steekt zijn hand uit.
zo trekt hij de juf omhoog.

de bus rijdt een weg in.
bas kijkt uit het raam.
ze zijn er.

5. bij de ingang

het is druk bij de ingang.
juf jeltje loopt voorop.
‘wat een rij!’ zucht ze.
‘dat duurt wel een poosje.’
opeens gaat er een hek los.
‘kom maar.
je kunt hier ook langs.’
er staat een man bij het hek.
hij wenkt.
‘top!’ roept ties.
hij rent naar het hek.
‘ties! blijf hier!’
de stem van de juf klinkt boos.
‘dat begint al goed.
wat heb ik nou gezegd?
blijf bij de groep!’
‘ik loop niet weg,’ zegt ties.
de juf kijkt ties aan.
het is net of ze hem niet gelooft.
‘echt niet?’
ties knikt.
‘echt niet! ik beloof het!’

‘waar gaan we heen?’ vraagt bas.
hij kijkt om zich heen.
ze staan op een soort plein.
er gaat een pad naar links en naar rechts.
maar ook een pad vooruit.
‘naar de leeuw,’ schreeuwt ties.
hij springt heen en weer.
‘grrrr, grrrr!’
‘nee, de speeltuin,’ joelt koen.
‘hoo, stop!’ zegt de juf.
ze steekt een boekje omhoog.
‘hier staat een weg in.
als je die weg volgt,
kom je langs elk dier.
het begint bij de beer.
wie ziet hem het eerst?’

6. de beer

bas kijkt om zich heen.
'daar!'
hij wijst naar rechts.
op een rotsblok ligt een beer.
zijn kop hangt op de rand.
het is net of hij slaapt.
de groep rent naar het hok.
'kijk eens,' roept ties.
'er zit glas voor.'

hij slaat met zijn hand op een groot raam.
'zie je hoe dik dat is,' zegt de juf.
'daar komt geen beer doorheen.
maar zo kun je hem wel goed zien.'
'waarom ligt hij daar?' vraagt bas.
'hij is lui,' zegt de juf.
'ik denk dat hij het warm heeft.'
bas drukt zijn neus op het glas.
'ik zie er maar één.
zijn er nog meer?'
'ja,' zegt de juf.
'kijk maar...'

bas draait zijn hoofd om.
'oeps,' zegt hij.
er sjokt een beer voor het glas langs.
langzaam.
stap voor stap.
de beer is opeens heel dichtbij.

'wat is hij groot,' zegt bas zacht.
juf jeltje knikt.
'de beer op de rots
ligt ver bij jou vandaan.
dan lijkt hij klein.
maar als je hem hier ziet...'
bas zucht.
hij kijkt de beer na.
opeens denkt hij aan bruun.
zijn beer.
bruun heeft nog maar één oor.
en zijn arm zit los.
hij lag altijd bij hem in bed.
maar nu niet meer.
waar zou bruun zijn?

7. een beeld van een dier

'ik heb ook een beer,' zegt bas.
'hij heet bruun.
hij is al heel oud.
mijn papa heeft er ook mee gespeeld.
toen hij klein was.'
'wat leuk,' zegt de juf.
'weet je dat ik ook een beer heb.
van vroeger.'
de juf kijkt naar de beer in het hok.
'hoe oud zou die beer zijn?'

'juf, kom eens!'
koen staat een eindje verder.
hij zwaait met zijn arm.
'waar is dit voor?'
koen wijst naar een beeld.
het is een beeld van een beer.
voor het beeld staat een bord.
met knopjes van goud.
'dat is voor een blinde.
als je blind bent,
kun je niet zien,' vertelt de juf.
'maar je hoort en ruikt wel veel.'

‘ja, poep!’ roept ties.
‘ties, hou op,’ zegt juf jeltje streng.
‘dat is niet leuk.’
ties trekt een raar gezicht.
hij draait zich om
en loopt bij de groep weg.
‘een blinde voelt ook goed.
daarom staat er bij elk dier een beeld.
zo weet een blinde toch
hoe het dier er uit ziet.
voel maar eens,’ gaat de juf verder.
koen legt zijn hand op het beeld.
hij voelt de kop.
hij voelt het lijf.
‘en?’ vraagt de juf.
‘het is koud,’ zegt koen.
‘dat klopt.
het beeld is van brons gemaakt.
dat voelt vaak koud.’

‘nu ik!’ roept bas.
het lijkt hem leuk.
‘goed,’ zegt de juf.
‘ogen dicht.’

8. bas voelt bultjes

bas doet een stap vooruit.
hij legt een hand op het beeld.
langzaam glijdt zijn hand over de beer.
'wat voel je?' vraagt juf jeltje.
'een neus.
en een oor.
nee, twee!
en dit is zijn lijf.
en hier zit een poot.'
'goed zo!' zegt de juf.

‘voel ook eens op het bord met de knopjes.
daar staat de naam van het dier.
in de taal van een blinde.’
bas voelt verder.
‘ik voel alleen maar bultjes.’
juf jeltje lacht.
‘dat klopt.
maar al die bultjes bij elkaar
is een woord.’
‘ik lees wel een boek,’ zegt bas.
‘dat leer ik nooit.’

‘juf, kom!’
ties staat een eindje bij de groep vandaan.
hij wenkt met zijn arm.
‘om de hoek zijn de apen.’
‘ties!’ zegt de juf.
‘kom eens hier.
‘wat heb je mij beloofd?’
ties kijkt naar de grond.
‘het duurt zo lang.
ik had de beer al gezien.’
‘dat kan best,’ bromt de juf.
‘je blijft bij ons.
straks ben ik je kwijt.
in de speeltuin mag je vrij.
nu niet.’

9. sjimp

het is druk bij de apen.
'kijk juf,' roept bas.
'die aap heeft een kleintje!'
in een hoek van het hok
zit een aap.
op haar buik ligt een aapje.
'wat lief,' zegt anniek zacht.
ze staat naast bas.
bas kijkt haar aan.
anniek is pas op school.
ze is verhuisd.
ze zegt niet veel in de klas.
soms vergeet je haar gewoon.
maar met gym niet.
dat kan ze heel goed.
ze klimt zo langs een touw omhoog.
en ze doet de koprol.
wel vijf keer!
net als een aap.
anniek woont ver bij school vandaan, weet bas.
dicht bij een groot bos.

6

bas kijkt weer naar de kooi.
aan het dak hangt een touw.
met een band eraan.
er hangt een aap aan die band.
hij zwaait hard heen en weer.
opeens laat de aap los.
hij zweeft door de lucht.
vlug pakt hij een ander touw.
dan klimt hij omhoog.
'goed, hè,' zegt anniek.
'zie je hoe snel hij dat doet.'
bas knikt.
anniek is goed in gym, denkt bas.
daar let ze op.

'weet je wat voor soort aap dat is?'
zegt bas opeens.
anniek schudt haar hoofd.
'een sjimp!
kijk, dat staat daar.'
bas loopt naar een bord.
het hangt aan de zijkant van de kooi.
'hier lees je wat hij eet.
en waar hij woont.'

10. duizend pakjes

anniek knikt.
ze snapt het.
bas leest heel goed.
hij heeft in één dag een boek uit.
zij niet.
zij leest langzaam.

'anniek en bas,' roept de juf.
'we gaan.'
bas rent naar de juf.
zijn tas hupt op zijn rug.
juf jeltje loopt een pad in.
opeens hoort bas iets.
het lijkt een schreeuw,
maar ook weer niet.
het is net een trompet.
'ik zie hem,' roept bas.
'naast die heg.
kijk, hij drinkt.'
op een heel groot veld
staat een olifant.
naast de olifant loopt een man.
hij heeft een slang in zijn hand.

daarmee spuit hij de olifant nat.
af en toe spuit hij ook in de bek.
de groep gaat bij het hek staan.
zo zijn ze heel dichtbij.
'wat is hij groot...' zegt anniek.
ze staart naar de olifant.
'weet je hoeveel hij nu drinkt?' vraagt de juf.
bas schudt zijn hoofd.

‘heb jij sap bij je?’
‘drie pakjes,’ zegt bas.
‘een olifant drinkt wel duizend pakjes leeg.’
‘in één keer?’
juf jeltje knikt.
‘in één keer!’

bas gelooft het haast niet.
‘duizend pakjes...
dan heeft hij een klotsbuik.’
bas voelt aan zijn buik.
daar is maar plaats voor drie pakjes.
‘juf...’ vraagt koen opeens.
‘drinkt de olifant ook met een rietje?’
bas lacht.

11. wat is hij sterk!

bas loopt langs het hek.
anniek gaat met hem mee.
in het hok staat nog een olifant.
en een kleintje.
het staat dicht bij zijn moeder.
op de grond ligt een boomstam.
de olifant duwt tegen de stam.
met zijn slurf.
de boomstam rolt opzij.
'wat is hij sterk,' zegt anniek.
'mijn vader werkt in het bos.
daar valt wel eens een boom om.
papa haalt hem dan weg.
met een tractor.
misschien is die olifant te leen.
voor één dag...'

'is het leuk in het bos?' vraagt bas opeens.
anniek knikt.
'ik ga vaak met papa mee.
en ik loop er met sam.
dat is mijn hond.
ik heb ook een hut.

in een boom.'
bas kijkt anniek aan.
dat lijkt tof.
zou hij...?
'ga je een keer mee?' vraagt anniek.
'dat vindt mijn mama best goed.
kom, daar loopt de juf.
ze gaat weg.'
anniek holt langs het hek.
bas rent met haar mee.
totdat hij op iets trapt.
het is zijn schoen.
die is los...

12. hoeveel?

‘juf, mijn schoen,’ roept bas.
hij steekt een been in de lucht.
‘hij is los.’
juf jeltje lacht.
‘maak hem zelf maar vast.
dat kun je best.
ik loop naar de giraf.’
bas zucht.
hij kan wel een strik.
maar niet goed strak.

‘ik doe het wel,’ zegt anniek.
‘sta eens stil’
anniek bukt zich.
snel maakt ze de schoen vast.
‘bedankt,’ zegt bas.
‘ik heb zin in iets.
jij ook?’
zijn rugzak glijdt omlaag.
‘wat heb jij bij je?’ vraagt anniek.
ze gluurt in de tas.
‘drie pakjes sap.
brood en snoep,’ somt bas op.

'een zak chips en geld.'
'hoeveel?'
'twee euro.
dat stond in de brief.'
anniek knikt.
'weet je wat ties bij zich heeft?'
bas schudt zijn hoofd.
'vijf euro,' zegt anniek zacht.
net of het een geheim is.

'vijf euro?' zegt bas.
hij gelooft het niet.
anniek knikt weer.
'hoe weet je dat?'
'ik heb het zelf gezien.
hij heeft een briefje van vijf.'
'stom!' zegt bas.
'als de juf het merkt.'
bas pakt een rol drop uit zijn tas.
'wil je er ook één?'
anniek trekt een dropje uit de rol.
bas stopt de rest in zijn broekzak.
voor straks.

13. naar de giraf

‘hè, waar is de juf?’ vraagt anniek.
ze kijkt om zich heen.
juf jeltje is nergens te zien.
‘ze zou naar de giraf gaan,’ zegt bas.
‘ik weet wel waar dat is.
kom.’
bas loopt snel een pad in.
en dan weer een pad.
anniek rent met hem mee.
‘hoe weet je dat?’ hijgt ze.
bas wijst naar een paal.
er hangt een bordje aan.
‘kijk, daar staat het op.
giraf.
de pijl wijst die kant op.’

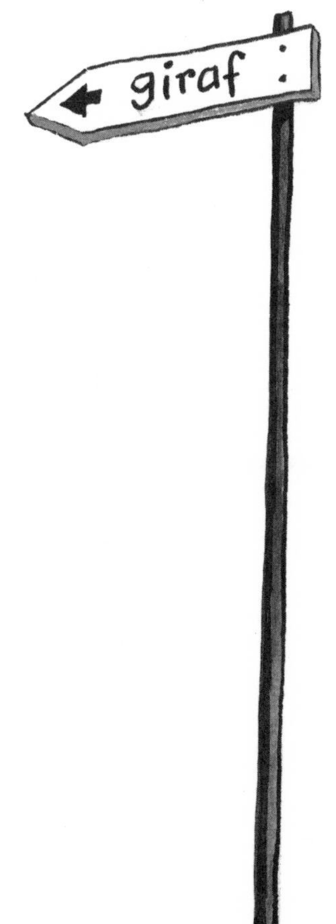

‘ik zie de juf,’ roept bas opeens.
hij wijst vooruit.
‘zie je de kop van de giraf?
daar staat ze naast.’
anniek tuurt.
‘ja, ik zie ze.
ik zie koen en ties ook.

kijk nou...
ties raakt de kop van de giraf aan.
dat kan niet!
een giraf is heel lang.
en ties is de kleinste van de klas...'
bas lacht.
'kijk eens goed,' zegt hij.
'de giraf loopt gewoon op de grond.
bij een muur.
ties staat op die muur.
zo kan hij de giraf goed zien.'
'dat wil ik ook,' zegt anniek.

14. hooi uit een bol

anniek loopt het pad af.
dan klimt ze een trap op.
zo komt ze op de muur.
anniek loopt naar de rand.
ze kijkt omlaag.
de muur is hoog.
net zo hoog als een giraf.

'zo, ben je daar weer.'
juf jeltje loopt naar bas.
'zit je schoen vast?'
bas knikt.
'dat heeft anniek gedaan.'
'jij boft,' zegt de juf.
'heb je de giraf al gevoeld?'
juf jeltje wijst opzij.
in de hoek staat een giraf.
hij steekt zijn kop door het hek.
'durf jij?' vraagt bas.
anniek knikt.
ze loopt naar de hoek.
de giraf voelt glad.
maar ook een beetje hard.

bas kijkt rond.
vlak bij de muur
hangt een bol met hooi.
de giraf kan er met zijn kop net bij.
'waar is dat voor?' vraagt bas.
'daar eet de giraf uit,' zegt de juf.
'in het echt eet een giraf van een boom.
maar dan wordt het hier zo kaal.
daarom hangt die bol er.
in het hooi zijn wortels verstopt.
die lust een giraf graag.'
'slim,' zegt bas.
'wat denk je,' zegt de juf.
'is dat ook iets voor jou?'
bas lacht.
hij ziet het al voor zich.
geen bord, maar een bol.
met sla en rijst.
en in het midden een stuk kip.
mmm!

15. in een hok van glas

'mooi, hè,' zegt bas zacht.
hij drukt zijn neus tegen het glas.
vlak voor hem loopt een groot dier.
van de boom naar de rots.
en van de rots weer naar de boom.
het is een tijger.
na de giraf zijn ze verder gegaan.
langs een smal pad.
het was er een beetje donker.
en opeens...
stond daar een tijger.
naast het pad.
in een hok met glas.
bas weet nog dat hij schrok.

'hij is wit,' zegt bas.
'dat staat op het bord.'
anniek knikt.
'maar niet spierwit.'
bas schudt zijn hoofd.
hij kijkt naar links.
daar ligt nog een tijger.
lui op een rots.

naast een boom.
zo ligt hij niet in de zon.
'het lijkt net een poes,' zucht anniek.
'nee, hoor,' zegt bas.
'daar is hij veel te groot voor.'

'bas! anniek!' klinkt het.
'we gaan.'
juf jeltje wenkt.
de groep staat al bij haar.
bas draait zich om.
hij holt naar de juf.
anniek blijft staan.
ze hoort de juf wel.
maar ze wil nog niet.
'anniek!' klinkt het weer.
nu moet ze wel.
'dag tijger...' zegt ze zacht.
ze zwaait met haar hand.
'ik vind jou toch net een poes.'

16. met de trein

‘juf, daar staat de trein,’ roept koen.
‘gaan we mee?’
‘goed,’ zegt de juf.
‘stap maar in.’

bas stapt in de trein.
anniek wipt vlug naast hem.
juf jeltje staat langs de kant.
ze telt.
‘1, 2, 3, 4, 5, 6, 7...
hé, ik mis er één!’
de juf kijkt snel om zich heen.
‘ties is er niet,’ roept koen.
‘het zal ook niet waar zijn,’ zucht de juf.
‘waarom blijft hij niet bij ons?’
‘ik zoek hem wel,’ zegt koen.
hij staat al met één been naast de trein.
‘niks ervan,’ bromt de juf.
‘op je plaats.
straks ben ik jou ook kwijt.
ik kijk zelf wel.’
juf jeltje loopt langs de trein.
maar er is geen ties te zien.

ffffuuuutttt!
de trein vertrekt.
'ga maar vast,' roept juf jeltje.
ze holt met het treintje mee.
'ik zoek ties.
ik zie je straks weer.'
daar gaat de groep.
na een poosje is de trein er weer.
juf jeltje staat al klaar.
maar zonder ties.
bas stapt uit.
en de rest van de groep ook.
'dat ging tof!' klinkt opeens een stem.

'ties!! waar was jij?'
de juf draait zich met een ruk om.
'gewoon, voorin.'
ties wijst naar de trein.
'het was gaaf, juf.
ik mocht ook aan het stuur.'
juf jeltje schudt haar hoofd.
'ik bind je nog eens vast.
kom, we gaan naar het klimrek.'
de juf pakt ties bij zijn hand.
het is net
of ze hem nooit meer los laat.

17. in het klimrek

bas kijkt omhoog.
oeps!
moet hij daarin?
het is een heel groot klimrek.
in de vorm van een bol.
gemaakt van hout en heel veel touw.
'bas!' roept anniek.
'kom je ook?'
anniek loopt op een brug.
als anniek een stap zet,
zwaait de brug heen en weer.
'ga maar,' zegt juf jeltje.
ze zit op een bankje langs de kant.
'als je valt, vangt het net je op.'
bas kijkt weer omhoog.
koen ligt in het net.
met zijn armen wijd.
'spring dan!'
bas hoort dat koen het roept.
naar anniek.
zou ze het doen?
ja! kijk!
ze springt.

anniek ligt ook in het net.
naast koen.
ze lacht hard.

‘bas, kom je nog?’
anniek roept omlaag.
ze staat bij een buis.
het lijkt wel een glijbaan.
net als in het zwembad.
‘wacht…,’ roept anniek.
ze glijdt in de buis.
na een tel ploft ze in het zand.
vlak voor bas.
ze durft veel, denkt bas.
‘kom, bas,’ zegt anniek.
ze pakt zijn hand.
‘ik klim met je mee.’

18. bas valt

bas pakt het touw vast.
hij tilt zijn voet op.
stap voor stap gaat bas omhoog.
eerst gaat het langzaam.
maar dan voelt het goed.
het is niet eng.
dat lijkt maar zo.
als je op de grond staat.

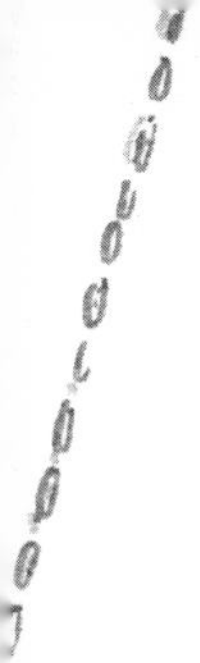

bas kruipt door een buis.
hij hangt aan een stang
en hij springt in het net.
'juf, kijk eens wat ik kan,' roept bas.
hij staat op een balk.
anniek zwaait een touw naar hem toe.
bas grijpt het touw.
hij neemt een aanloop.
dan zwaait hij door de lucht.
maar opeens...
het touw glijdt weg.
hij houdt het niet.
'help!' schreeuwt bas.

'laat maar los!' roept anniek.
'je valt in het net!'
met een plof duikt bas in het net.
hij rolt naar de kant.
bas kijkt omhoog.
hij ziet anniek.
ze steekt haar duim op.
'dat ging goed.
nog een keer?'
bas schudt zijn hoofd.
'ik heb dorst.
jij ook?'

19. naar huis

bas zit op de bank.
naast anniek en koen.
hij drinkt uit een pakje sap.
opeens komt ties eraan.
'kijk eens wat ik heb!'
bas kijkt naar ties.
hij heeft een ijsje in zijn hand.
een heel groot ijsje.
hij heeft ook nog snoep.
'hoe kom je daar aan?' vraagt bas.
'gekocht!' zegt ties.
zijn gezicht staat stoer.
'dat is vast heel duur,' zegt koen.
ties knikt.
'vijf euro!'
zie je wel, denkt bas.
anniek heeft toch gelijk.
ties heeft meer geld mee.
'dat mocht niet,' zegt koen.
'de juf weet het toch niet,' zegt ties.
'en als ik het zeg...' dreigt koen.
ties kijkt koen boos aan.
'als je dat doet.

dan, dan...'
'trek je toch niets van ties aan,' zegt anniek.
ze pakt koen bij zijn arm.
'kom, wie het eerst in het klimrek is.'

het is vier uur.
de groep van bas loopt naar de uitgang.
bas loopt naast anniek.
hij vindt haar leuk.
en dat bos...
dat lijkt hem top.
misschien kan het snel een keer.
ties sloft een eindje bij de groep vandaan.
'loop eens door, ties,' roept de juf.
'is er iets?
je ziet zo wit.'
'ik heb buikpijn,' kreunt ties.
bas draait zich om.
hij lacht.
'was het ijsje toch te groot?'